UN ENTORNO CELESTIAL

Serie Aventura del espíritu 2

UN ENTORNO CELESTIAL

Capítulo 1 del curso
Conoce a los Maestros

Summit University

Porcia Ediciones
Barcelona   Miami

Título original:
MEETING THE MASTERS - A SACRED ADVENTURE SERIES 2, Chapter 1: Exploring Our Teeming Cosmos
by Mark L. Prophet, Elizabeth Clare Prophet and Staff of SUMMIT UNIVERSITY

Traducción al español: Tziviah Aguilar y Alma Alexandra García (de pág. 31 al final)
Spanish Edition Copyright © 2005 Porcia Ediciones, S.L.
Reservados todos los derechos. Publicado por:

PORCIA EDICIONES, S.L.
Enamorados 68 Principal 1ª Barcelona 08013 (España)
Tel./Fax (34) 93 245 54 76
E-mail: porciaediciones@wanadoo.es

1ª edición: marzo 2005
Depósito legal: B.7.937-2005
ISBN: 84-95513-51-X

Impreso en España por Romanyà/Valls S.A.
Printed in Spain

Índice

A aquéllos que ven su vida al completo cual aventura sagrada; a aquéllos que siempre avanzan sin desaliento, atreviéndose a conquistar, a desafiar vastos mares y a escalar las más elevadas montañas de la conciencia; a aquéllos que en todo momento recuerdan que el camino de ascenso bien vale los inconvenientes: a todos ellos dedicamos este libro, el siguiente paso en el sendero espiritual.

Agradecimientos

Ofrecemos este libro con profundo amor a los maestros ascendidos Jesucristo, Kuthumi, El Morya y Djwal Kul, así como a los mensajeros Mark L. Prophet y Elizabeth Clare Prophet, sin quienes nunca se habría hecho realidad.

Asimismo brindamos nuestro grato reconocimiento a las siguientes personas, por su contribución profesional brillante y sensible:

Olivia Hoyt Gonzales, Donna Conte, Destyne Erickson, Louise Hill y Karen Gordon, por sus agudas correcciones y aportaciones estilísticas;

Virginia Wood, por su vista de lince en la corrección de pruebas;

Linda Worobec, Stewart y Judy Anderson, Dorothy

Lee Fulton, Hans Roing, Kirsten Moody y Bruce Beall, por su inestimable pericia y asistencia en la producción del disco compacto;

Stewart Hill, Ronald Lichtwardt y Phyllis Blain, por su paciente ayuda en materia de visualizaciones, ilustraciones y permisos;

y Lynn Wilbert, por su creatividad en diseño, presentación e ilustraciones.

Summit University:
Una universidad de religión, ciencia y cultura

En 1971, Mark L. Prophet fundó Summit University en Santa Bárbara (California, EE.UU.) con el fin de ofrecer cursos que estudiasen con detenimiento la salud, la espiritualidad y la conciencia. Es una moderna escuela de misterios cuyas enseñanzas se basan en las tradiciones espirituales de todo el mundo y en las grandes luminarias de Oriente y Occidente que surgieron de esos senderos: los maestros ascendidos.

Aproximadamente durante tres décadas, Summit University ejerció de plataforma para revelar las enseñanzas en estado original de los maestros ascendidos.

Hoy por hoy, el equipo de Summit University se encuentra ordenando esta ingente cantidad de enseñanzas y convirtiéndolas en estructurados seminarios y cursos accesibles a los buscadores espirituales de todo el mundo.

Aventura del espíritu es el primer programa de estudios independiente que ha compuesto Summit University para aquéllos interesados en explorar y asimilar las enseñanzas de los maestros ascendidos en la intimidad del hogar.

Los más recientes seminarios de esta universidad han incluido una diversidad de materias reunidas en títulos tales como «Experimenta con la luz en tu interior», «El camino del místico cristiano» o «El sendero del adepto oriental». Estos temas ahondan en la esencia mística de las principales religiones y tradiciones sagradas del mundo. Los cursos ofrecidos vía Internet, por otro lado, abarcan cuestiones como «la autocomprensión», «la ley cósmica», «el discipulado» y «budismo: amor y compasión en acción».

Los estudiantes de Summit University hallan numerosas oportunidades de practicar consigo mismos por medio de ejercicios introspectivos e interactivos, y asimismo meditaciones y oraciones.

Los programas de Summit University cuentan con cursos por Internet, así como seminarios de fin de semana nacionales e internacionales y retiros que ofrecen estudios monográficos sobre temas diversos. Estos encuentros son, para muchos, verdaderas experiencias místicas, dado que cada seminario o retiro es auspiciado

por uno o varios maestros ascendidos. El trabajo de los maestros con los estudiantes consiste en aportarles una percepción interna y profunda de su psicología y otorgarles dirección interna en su desarrollo espiritual. Summit University brinda la posibilidad de experimentar transformaciones intensas a los nuevos estudiantes, así como a los ya veteranos que llevan tiempo recorriendo el sendero espiritual.

Introducción

Bienvenido al segundo curso* de la serie *Aventura del espíritu*, titulado *Conoce a los Maestros*. En él, damos paso a un estudio más profundo de las etapas que, en la práctica, te permitirán progresar con mayor rapidez en el sendero espiritual, llevar a cabo la misión de tu alma y reunirte con tu realidad divina; todo ello a la vez que te ocupas de los pormenores del día a día. A continuación te ofrecemos un breve resumen de lo que el curso te reserva.

Tú formas parte de un amplio conglomerado de seres de luz que se compone no sólo de otras personas, sino de maestros ascendidos[1], de ángeles, de seres cós-

---

* En esta publicación en español se publica la lección primera correspondiente al segundo curso de la serie *Aventura del Espíritu*. [N. de E.]

[1] Los maestros ascendidos son nuestros hermanos y hermanas mayores de luz, que proceden de todas las eras, culturas y religiones. En otro tiempo

micos e incluso de espíritus de la naturaleza, todos los cuales desempeñan un papel integrante en el teatro de la vida. Posees un proyecto espiritual original que es del todo individual y único: da forma a tu cometido, a tus obligaciones y a los dones que estás en disposición de ofrecer a la vida. Asimismo, en tu interior anida una chispa de divinidad, que es el motor de energía infinita capaz de proporcionarte los medios para emprender tu búsqueda espiritual. Esa chispa está singularmente tejida a base de fundas de luz que rodean tu alma y tus cuatro cuerpos inferiores: los vehículos etérico, mental, emocional y físico, los cuales te facultan para desenvolverte por el mundo.

El alma y los cuatro cuerpos inferiores se alimentan de siete rayos espirituales de luz los cuales son componentes esenciales de tu verdadero ser. Descubrir qué rayos de luz son los elementos fundamentales de tu singularidad y de tu viaje de vuelta al Espíritu constituye una parte emocionante de esta colosal aventura llamada vida. Los capítulos de este segundo curso de la serie te ayudarán a explorar los tres primeros de estos siete rayos. Te transmitirán la luz que contienen, al tiempo que

también fueron habitantes de la Tierra igual que nosotros ahora. A través de muchas vidas de devoción y esfuerzo espiritual, han conseguido completar su estancia en la Tierra y así regresar de nuevo al reino espiritual del cual una vez vinieron.

te ofrecerán modos adecuados de experimentar con los rayos y de valerte de ellos en la vida cotidiana. En cuanto lo hagas, podrás asimilar sus cualidades y adquirir una comprensión gráfica de tu identidad espiritual distintiva. Todos los maestros ascendidos se han especializado en la aplicación de uno de estos rayos, de modo que son capaces de brindar inapreciable ayuda e instrucción en lo concerniente a encarnar esas virtudes.

A medida que estos capítulos te van guiando desde el nivel de la conciencia humana hasta el aire enrarecido del Espíritu, los maestros ascendidos se van tornando bastante tangibles, mientras extienden sus manos y su corazón con el fin de elevarte a su nivel de conciencia iluminada. Algunos nombres te resultarán conocidos, aunque otros, nuevos, así que unos cuantos se te darán a conocer. Al proceder a un estudio exhaustivo de los maestros que sirven como chohanes (señores) de los tres primeros rayos y otros maestros ascendidos de especial relevancia, te sentirás mucho más cerca de estos hermanos y hermanas de la humanidad. En cuanto decidas seguir a uno o a varios de tu elección, recita sus mantras y pon en práctica los consejos que se te brindan para atraerles hacia tu corazón. Ellos, a cambio, te ayudarán a transformar tu conciencia en la de tu Yo Superior.

Cada capítulo contiene diversos apartados. «Sabiduría de los maestros» se basa en instrucción y reflexiones de los maestros ascendidos. «Conoce a...» consiste en un breve perfil de las encarnaciones, así como la personalidad humana y divina de un maestro ascendido determinado estudiada en relación con los temas tratados en cada capítulo. El apartado «Pieza de rompecabezas» aporta información que facilita al lector la comprensión de las materias en el marco de un contexto histórico o espiritual más amplio.

El apartado «El poder liberador de la Palabra» que se encuentra en cada capítulo explica la ciencia de la Palabra hablada, un método singular de técnicas espirituales que incorpora el uso de rítmicas oraciones pronunciadas en voz alta, denominadas «decretos», así como la visualización y la meditación, a fin de invocar la luz divina para producir cambios constructivos en tu vida. Estas poderosas herramientas pueden aumentar enormemente la eficacia de tu trabajo espiritual. Los temas se han dispuesto en una espiral ascendente, siendo cada uno en debate más avanzado que el anterior. Puesto que estas lecciones retoman la ciencia de la Palabra hablada allí donde la *Aventura del espíritu* (primer curso de la serie) lo dejó, recomendamos encarecidamente que leas ese libro* si no conoces con precisión esta ciencia única.

---

* *Aventura del espíritu* (primer curso), Barcelona: Porcia Ediciones, 2ª ed. 2005.

Intercalados entre los que versan sobre los rayos, se encuentran otros capítulos impactantes y motivadores. Por ejemplo, hallarás instrucción que te permitirá trabajar con los maestros veinticuatro horas al día, durante el sueño o la vigilia, mientras tu alma viaja de noche para estudiar con ellos en sus retiros etéricos. Encontrarás asimismo un estudio pormenorizado sobre la llama trina, esto es, la chispa divina que hay en tu corazón y que es fundamental para la evolución de tu alma y la ascensión.

Libros futuros de esta serie *Aventura del espíritu* completarán la exploración de los siete rayos. Cuando los hayas leído, poseerás un entendimiento más profundo sobre tu sendero personal de desarrollo espiritual en uno de estos rayos espirituales, así como sobre el modo en que los rayos de luz están hilvanados de forma integrada en tu conciencia, logro y expresión singularizada de la conciencia crística universal.

¡Buen viaje en esta progresiva andadura de tu vida que es una aventura del espíritu! Si deseas echar un vistazo al mapa que conduce a esta etapa del viaje, te ofrecemos a continuación un breve resumen del primer libro y curso de la serie *Aventura del espíritu*.

Sinopsis de Aventura del espíritu *(primer curso)*

Lo ideal es que leas el primer libro de la serie a fin de prepararte para esta segunda etapa del viaje. Si no has tenido ocasión, éste es un breve resumen de los temas de los capítulos, toda vez que tales conceptos son la base para la comprensión de gran parte del material contenido en los capítulos del segundo curso.

GRÁFICA DE TU YO DIVINO

1. **Nuestro origen divino** explica la manera en que fuimos creados como seres espirituales y cómo encajamos en el gran proyecto cósmico. Describe el modo en que nuestras almas descendieron desde los reinos del Espíritu a la materia y clarifica nuestra conexión con la Presencia YO SOY, esto es, nuestra manifestación individual de lo Divino. También proporciona una visión general de la meta final de nuestra reunión con la Presencia YO SOY, conocida como ascensión.

2. **El contacto con la divinidad interna** explora la relación entre los componentes básicos de nuestra estructura espiritual, en los que se incluyen el alma y el Yo Superior —la «Presencia YO SOY» y el «Santo Ser Crístico». Enseña asimismo a sintonizar con nuestra divinidad innata por medio de la chispa divina, que es la llama trina en nuestro corazón.

3. **Vivir una vida espiritual en un mundo material** expone que ser conocedor de que uno es un ser espiritual no siempre equivale a sentirse espiritual. Esta enseñanza sumamente práctica parte de lo que se te ha mostrado hasta el momento para ponerte de manifiesto cómo ser un ser espiritual aun viviendo en un mundo material. Te refiere datos acerca de la interrelación entre los distintos aspectos de tu naturaleza espiritual,

así como el modo en que éstos operan y cómo los encuentros de la vida cotidiana nos afectan tanto positiva como negativamente.

4. **La expansión de flujo de la luz interior** trata sobre cómo la luz del Espíritu fluye dentro del organismo humano y la posibilidad de invocar a voluntad más de ella atrayéndola a tu vida. También se refiere este capítulo a tus centros espirituales, los chakras, y al modo en que la presencia o falta de luz en ellos puede tener repercusiones en tu conciencia y vida cotidiana. Se apor-

TUS SIETE CENTROS DE ENERGÍA

tan asimismo métodos para proteger y expandir el aura, la cual es el campo energético de luz que te envuelve. Tal vez lo más destacable es que concreta cómo los diversos modos en que empleas la luz divina guardan relación con la ascensión, esto es, la meta final de tu alma.

5. **Karma: bueno, malo y saldado** ahonda en las circunstancias y en la historia que nos han conducido hasta el lugar que nuestra alma ocupa hoy día. Explica cómo nuestras elecciones basadas en el libre albedrío —buenas o malas— han repercutido y repercutirán en nuestra experiencia física en el mundo. Muestra cómo el concepto oriental de «karma», el resultado de estas elecciones por el libre albedrío, se conecta con la teología occidental. Ofrece, además, algunas formas de ayuda para minimizar las difíciles consecuencias que entraña el entorno del karma negativo.

6. **Viaje al otro mundo: el pasado, el presente y el futuro** explora el concepto de reencarnación como componente decisivo en el misterio de la vida. Aborda la historia de la creencia en la reencarnación en todo el mundo. Y, estableciendo un paralelismo con la anterior explicación acerca de cómo el concepto oriental de karma se acomoda al cristianismo, este capítulo narra que la reencarnación encaja en la teología occidental. Se presenta una pormenorizada descripción del argumento re-

lativo a la reencarnación y sus ramificaciones; entre ellas, por qué debemos reencarnar y cómo a la postre podemos interrumpir ese ciclo de volver una y otra vez a encarnar físicamente.

7. **El destino final: la ascensión** describe el final feliz de tus numerosas vidas. Define el proceso de la ascensión: la gloriosa reunión con Dios que señala la cumbre de las experiencias de tu alma en el mundo físico. Clarifica el proceso de la ascensión, sus requisitos y cómo otros antes que nosotros han alcanzado esta victoria consistente en la inmortalidad.

Saca el máximo provecho de Aventura del espíritu

La serie *Aventura del espíritu* es un curso independiente de estudio a distancia que te guía progresivamente por las etapas prácticas de desarrollo espiritual y te facilita la asimilación de las enseñanzas de los maestros ascendidos. Las siguientes recomendaciones y consejos para el estudio te permitirán aprovechar al máximo la *Aventura del espíritu* a la vez que cosechas a partir del material ofrecido los mayores beneficios que te sea posible.

Recomendaciones

1. Ten a mano un diario. Este curso se ha diseñado para seguirlo acompañado de un diario o cuaderno donde puedas poner por escrito tus percepciones y reflexiones. Quizá desees reservar una parte de éste para escribir las experiencias con los ejercicios y

meditaciones, y utilizar otra parte para tomar notas.

2. Empieza por el principio. Los capítulos y las lecciones de este curso son progresivas, y se basan en la información que se ha dado en lecciones anteriores. Es más fácil que obtengas lo máximo de *Aventura del espíritu* si comienzas por la lección 1 del primer curso, *Aventura del espíritu*, y avanzas gradualmente, y si de vez en cuando utilizas las herramientas de trabajo interactivo. Si ya estás leyendo el segundo curso *Conoce a los maestros* y todavía no has leído *Aventura del espíritu*, asegúrate de hacerlo y conseguir así la base imprescindible para una íntegra comprensión de los conceptos que se presentan ahora en el segundo curso.

3. Adopta una postura proactiva. La participación activa mejorará tu habilidad a la hora de asimilar la sabiduría de los maestros. Hacer los ejercicios y las meditaciones también contribuirá a que el material sea más aplicable a

tu vida diaria. Recomendamos que utilices estas herramientas en su totalidad, reservándote suficiente tiempo y espacio para practicarlas.

Consejos para el estudio

1. Determina un tiempo fijo para estudiar y mantenlo. Pauta un ritmo de estudio estable dejando un espacio de tiempo entre una y otra sesión de estudio para obtener los máximos beneficios.

2. Fija tiempos cortos de estudio. Ciertas investigaciones han demostrado que dedicar períodos cortos al estudio proporciona un aprendizaje más eficiente.

3. Revisa las lecciones. Si pasan varios días entre las sesiones de estudio, te resultará útil efectuar un breve repaso del material de la lección previa antes de proseguir con la siguiente. Esto te permitirá reforzar los conceptos y términos ya presentados y prepararte para los nuevos que encontrarás en la

siguiente lección. Si has tomado notas sobre lo que estás aprendiendo, estúdialo, si quieres, antes de continuar. Además, releer de qué modo interpretaste tus propias experiencias al hacer los diversos ejercicios y meditaciones te puede ayudar a refrescar lo que aprendiste, e, incluso, darte nuevas ideas.

Un entorno celestial: Exploremos nuestro rebosante cosmos

SABIDURÍA
DE LOS MAESTROS

La jerarquía cósmica

Cada uno de nosotros desempeña un papel importante y único en el grandioso proyecto de la evolución cósmica. Cuando nuestra alma asciende ya no está apegada a la tierra, sino que vive y se mueve en un cosmos rebosante, el cual abarca una extensa red de seres espirituales. A estos seres inmortales, cuya conciencia cubre el cosmos, se les conoce en conjunto como la jerarquía cósmica. Ésta se organiza conforme a niveles cada vez más elevados de conciencia, en los cuales los seres que poseen mayor logro espiritual apoyan a los que tienen menos. Todo esto ocurre en un ambiente de gran amor, armonía, confianza y cooperación, que nos alienta a alcanzar alturas inimaginables de autorrealización y expresión de uno mismo.

La vida después de la ascensión

El sendero de la ascensión es un proceso singular y extraordinario. Consiste en la espiritualización de la conciencia y lleva a la reunión mística con Dios. De acuerdo con los maestros ascendidos, la ascensión es el destino final de todas las almas que evolucionan en la Tierra. (El primer curso ahonda en este concepto.)

Tomémonos unos minutos para profundizar en dicho momento de victoria y evaluar esta unión final en un contexto más amplio.

Imagina que en algún momento de tu existencia hubieras ascendido. Estás de vuelta al hogar, unido a tu poderosa Presencia YO SOY, nuevamente en el cielo. ¿Y ahora, qué? Te sientas, te relajas y ¿qué haces? ¿Tocar el arpa? ¿Qué sucede en realidad después de la ascensión?

Ten la seguridad de que te esperan experiencias muy emocionantes en tu nuevo entorno celestial. Habiéndote graduado de la escuela de la Tierra eres un maestro ascendido recién llegado. Obtuviste la maestría en el mundo material y tienes frente a ti un mundo completamente nuevo que explorar y donde plasmar la maestría: el de la existencia cósmica.

El porcentaje de karma que el nuevo maestro ascendido haya saldado antes de ascender determina su futuro inmediato. En el siglo XX los maestros ascendidos anunciaron que las almas podrían ascender después de haber transmutado el cincuenta y uno por ciento de su karma, por eso ahora muchas personas probablemente ascenderán con más de ese porcentaje de su deuda kármica saldada, pero con menos del cien por cien.

Esto significa que aún tendrán karma por saldar con algunos individuos de la Tierra y deberán pasar más tiempo con ellos para transmutarlo, pero ahora desde el estado ascendido.

Su principal meta es saldar el karma restante. Los maestros recién ascendidos también pueden hacerlo por medio de oraciones y decretos; sin embargo, con frecuencia lo realizan ayudando a las personas a través de inspiración, guía interna e intercediendo por ellas.

Además de las actividades con las que saldan karma, los maestros ascendidos se ocupan simultáneamente de su desarrollo personal continuo. Podemos compararlo con asistir a una clase nocturna después de un día de trabajo. Tal vez te parezca extraño, pero los maestros cuentan que aun los seres ascendidos siguen estudiando, aprendiendo y expandiendo su conciencia, es decir, siguen evolucionando. De hecho, la ascensión es sólo el comienzo de una nueva etapa en la vida espiritual. Elizabeth Clare Prophet dice que el día de nuestra ascensión es cuando verdaderamente nacemos, porque ese día comienza realmente nuestra vida.

Cuando los seres ascendidos están completamente libres de karma pueden escoger en qué lugar del vasto universo desean servir. Pueden optar por acompañar a la Tierra en su evolución o irse a otros mundos. Existen millones de seres ascendidos en el universo que nunca conoceremos o de los que nunca oiremos hablar porque ya no interactúan con las almas de la Tierra.

Algunos maestros ascendidos permanecen con nosotros actuando como maestros y guías. En muchos casos nos sentimos familiarizados con ellos porque conocemos sus encarnaciones pasadas en las que dejaron una huella palpable o influyeron de manera patente en la historia del mundo. El Maestro Ascendido Kuthumi es un buen ejemplo. En su última encarnación se le conoció como el *Mahatma* K. H., un adepto de la India, piedra angular en la fundación de la Sociedad Teosófica a fines del siglo XIX. Kuthumi también encarnó en Pitágoras y, más tarde, en san Francisco de Asís. Otros maestros conocidos son las maestras ascendidas Madre María y Kuan Yin, y los grandes maestros, el Buda Gautama y el Señor Maitreya. Éstos y otros seres ascendidos trabajan juntos, sirviendo al planeta en el desempeño de muchas funciones como miembros de la Gran Hermandad Blanca.

¿Qué es la Gran Hermandad Blanca?

Con frecuencia se menciona el término «Gran Hermandad Blanca» en círculos espirituales. Se trata del sustantivo colectivo que designa a los seres ascendidos y cósmicos dedicados a manifestar el bien mayor para la humanidad, que se halla en estado de evolución. La palabra *blanca* no se refiere a la raza, sino a la luz blanca que impregna y rodea a los miembros de esta fraternidad espiritual. La Gran Hermandad Blanca trabaja de innumerables formas para cumplir con su meta de elevar la conciencia colectiva de la humanidad.

La Hermandad incluye no sólo a seres ascendidos y cósmicos sino también a ciertos estudiantes e iniciados no ascendidos que se han capacitado y han cumplido con los requisitos necesarios para pertenecer a ella. Las almas no ascendidas pueden o no ser conscientes de su vínculo con la Hermandad, pero su grado de logro y buenas obras ameritan su ingreso en la fraternidad y su participación en ella a niveles internos. Conforme la Gran Hermandad Blanca revela más información a la humanidad sobre sus metas y proyectos y más personas progresan en el sendero espiritual, un mayor número de estudiantes puede trabajar en conjunto con los maestros ascendidos en sus valiosas empresas.

La Gran Hermandad Blanca posee una excelente estructura y organización para llevar a cabo su labor. Existe una clara división de tareas de acuerdo con las habilidades y pericia de los maestros. La Hermandad está compuesta por diversos consejos, cuyos miembros tienen metas y objetivos específicos. Por ejemplo, una de las responsabilidades del Consejo de Darjeeling de la Gran Hermandad Blanca, encabezado por el Maestro Ascendido El Morya, consiste en capacitar y formar a los individuos de los gobiernos conforme a los principios del liderazgo inspirado, en materia de economía, religión, educación y humanidades. La mayor parte de esta formación se imparte a niveles internos mientras el alma está fuera del cuerpo durante el sueño.

Seres cósmicos que sirven en la Tierra

Como parte de su evolución espiritual continua, los maestros ascendidos pueden a su vez ser estudiantes de maestros altamente evolucionados o de otras personalidades espirituales conocidas como «seres cósmicos», los cuales poseen un enorme logro. Su conciencia puede abarcar todo un universo y dirigen campos de energía inmensos, que se hallan fuera de nuestra comprensión. Un maestro recién ascendido que ha saldado el cincuenta y uno por ciento de su karma no podría ser considerado un ser cósmico. Sin embargo, con el tiempo puede evolucionar a ese nivel de logro como parte de su progresivo avance por el sendero espiritual.

Cabe tomar como ejemplo de ser cósmico al Gran Director Divino, el instructor de los maestros ascendidos El Morya y Saint Germain. «Gran Director Divino» no es el nombre real de este maestro. En cierta ocasión, Saint Germain hizo el siguiente comentario acerca de su instructor: «Su nombre es el título de un cargo de la jerarquía cósmica que se ha otorgado a quien, en virtud de la aplicación diligente a lo largo de eones, actualmente concentra dentro de su cuerpo causal la fórmula de la ascensión para los niños de Dios y los hijos e hijas del Altísimo que evolucionan en este cosmos.»[1]

Otro ser cósmico es el maestro conocido como Poderoso Víctory, quien ascendió hace mucho, mucho tiempo. Él encarna las energías divinas de la victoria para los vastos confines del cosmos gracias a la devoción que ha mostrado por esa cualidad durante más de cien mil años. Junto al Poderoso Víctory sirven doce maestros cósmicos, además de legiones de ángeles y seres ascendidos. Jun-

---

[1] *Pearls of Wisdom* («Perlas de Sabiduría»), vol. 18, no. 32, p. 160. Las *Perlas de Sabiduría* son mensajes —o dictados— de los maestros ascendidos transmitidos a través de sus mensajeros Mark y Elizabeth Prophet. Se envían a todo el mundo por correo semanalmente a estudiantes de los sagrados misterios.

tos concentran la conciencia de la victoria de Dios para cada alma que evoluciona en el mundo material.

El Gran Director Divino y el Poderoso Víctory se cuentan entre los seres cósmicos que se han ofrecido a asistir a las evoluciones de la Tierra en su desarrollo espiritual. Puesto que la conciencia de estos siervos cósmicos de la luz impregna el universo, están muy cerca de ti, tanto como el latido de tu corazón, y responden inmediatamente cuando invocas su asistencia.

Puedes pedirles ayuda en cualquier momento. Por ejemplo, si la necesitas para tomar una decisión importante puedes recurrir al Gran Director Divino a fin de que te revele el siguiente paso en el cumplimiento de tu plan divino. Si estás luchando por terminar un proyecto difícil o te estás enfrentando con una situación desafiante puedes pedirle al Poderoso Víctory que te infunda de su hábito acumulado de victoria cósmica.

Tómate un momento para hacer los siguientes llamados y experimenta su tremendo efecto:

Amado Gran Director Divino, ¡te invoco para tener dirección divina en mi vida! Muéstrame el siguiente paso en esta situación: [describe la situación].

Amado Poderoso Víctory, ayúdame a terminar este proyecto: [describe la situación]. Ayúdame a vencer todos los obstáculos que me impiden terminarlo. ¡Inúndame con tu majestuosa sensación de victoria! ¡Yo reclamo mi victoria en este momento!

Dios, el Espíritu universal

¿Dónde ubicamos a Dios cuando hablamos de millones de seres divinos? Mucho más allá de las distintas clases de seres ascendidos que hemos comentado se encuentra el misterio de la existencia esencial o suprema. Numerosos credos y religiones se refieren al ser o conciencia absoluta como a «Dios Todopoderoso», «Ser Supremo», «Ser Infinito», «Espíritu Universal». Los cabalistas lo nombran «Ein Sof» (la infinidad, o el Dios infinito). Los hindúes utilizan el término «Bramán» (la inmensidad). Todos estos nombres revierten a la misma realidad espiritual: a lo inefable, a la conciencia divina que todo lo abarca, en la cual existen todas las demás percepciones conscientes.

Si se quiere expresar con palabras sencillas, *Aventura del espíritu* utiliza el término «Dios» para hacer referencia al Espíritu divino universal en su naturaleza andrógina. Todas las demás formas o ámbitos de la vida son una extensión o emanación de este Dios Padre/Madre. Es decir, Dios se expresa a Sí mismo en cada parte de la creación, ya sea por medio de un ser cósmico, de una flor o de ti.

Con frecuencia los seres han aceptado la idea de separación entre el Espíritu y la materia. Esta sensación de separación es una equivocación y ha generado mucha infelicidad y dolor. El sendero espiritual nos lleva a reconocer la conexión amorosa que compartimos con toda la creación y la percepción de que Dios impregna todos los aspectos de la vida.

La siguiente meditación se ha diseñado para ayudarte a expandir la conciencia más allá de sus limitaciones actuales, hacia una percepción mayor de la conciencia infinita de Dios. Practicarla frecuentemente puede contribuir a que ancles en la vida diaria esta conciencia expandida a fin de ser más consciente de ti mismo como emanación de Dios.

MEDITACIÓN:
Expande los límites de tu conciencia

1. Ve a tu interior y centra la atención en el corazón. Puedes poner la mano encima de él para fijar ahí tu conciencia.

2. Respira lenta y profundamente varias veces hasta que te sientas tranquilo y centrado.

3. Cierra los ojos y visualiza tu aura como una esfera brillante que se extiende a tu alrededor unos tres metros [nueves pies] de diámetro.

4. Deja que tu conciencia llene por completo esta esfera.

5. Siente cómo la esfera de tu conciencia se expande hasta abarcar toda la habitación. Siente cómo se distribuye por tu barrio y ciudad. Expande tu conciencia hasta que abarque tu país y el mundo entero. Sigue expandiendo los límites de tu conciencia más allá de la Luna, del Sol y de los planetas de nuestro sistema solar. Ve más allá de las estrellas de la Vía Láctea, y a las galaxias lejanas.

6. Cuando ya no puedas expandir más tu conciencia, toca con tu corazón al Ser Supremo, de quien brotó tu alma y a quien adoras.

7. Mantén este contacto mientras entonas el OM.

8. Ahora contrae lentamente la esfera de tu conciencia. Tráela de regreso al sistema solar y a la atmósfera de la Tierra. Atráela hacia tu país, tu ciudad y tu hogar. Deja que tu conciencia regrese poco a poco a tu cuerpo.

9. Respira con profundidad y abre lentamente los ojos.

10. Cuando estés listo escribe tus impresiones o descubrimientos en tu diario.

La estructura de la jerarquía cósmica

La visión panorámica que te acabamos de presentar denota una estructura de existencia terrenal y cósmica que se ajusta al principio de la jerarquía. Aun cuando el concepto de jerarquía no siempre goce de popularidad o sea políticamente correcto en la Tierra, la jerarquía da forma al mundo invisible de una manera bellamente organizada. A menudo se utiliza el término «jerarquía cósmica» para describir el mundo invisible y rebosante de la existencia divina.

Si observamos el significado de la palabra *jerarca* podemos comprender mejor la razón por la cual el cielo utiliza una estructura jerárquica a fin de organizarse. *Jerarca* es el resultado de la combinación de las raíces de dos palabras griegas: el sustantivo *hiereus*, «sacerdote», y el verbo *archein*, «guiar, dirigir, gobernar». Por tanto, un jerarca es una figura religiosa o espiritual que desempeña un papel de liderazgo o posee el poder de gobernar. En sentido literal, un jerarca es 1) un líder religioso ubicado en una posición de autoridad, o 2) alguien que ocupa una posición de alto nivel en un organismo que clasifica a las personas de acuerdo con su capacidad o nivel social. En términos espirituales, la jerarquía está compuesta por seres de todo el cosmos que se identifican con la conciencia de Dios y encarnan un cierto aspecto de dicha conciencia. Un jerarca es quien sostiene un foco de gran luz en el cosmos.

Mirar a la jerarquía a través de la lente de la auto-trascendencia puede ser de gran utilidad. Cuando un individuo evoluciona desde el estado de conciencia humana hacia el de un maestro ascendido, trasciende la percepción actual de sí mismo y se eleva en la jerarquía. Se engrandece con respecto al que era antes gracias a alcanzar nuevas alturas y dimensiones de conciencia. Este proceso continúa a lo largo de su evolución espiritual.

Por lo tanto, la jerarquía cósmica es un sistema ordenado cuyos miembros se encuentran clasificados de acuerdo con su nivel de logro espiritual y conciencia divina. Como se aprecia claramente, un factor diferenciador entre una persona encarnada y un maestro ascendido es el grado de conciencia espiritual (la asimilación y dominio de la conciencia divina) alcanzado por cada uno. De igual modo, la diferencia entre un maestro ascendido y un ser cósmico radica en sus distintos grados de maestría espiritual y en la asimilación de la conciencia divina.

La jerarquía también existe aquí en la Tierra. No obstante, en ocasiones se abusa de ella o se corrompe, en cuyo caso representa una estructura imperfecta. En contraposición, la jerarquía cósmica se basa en los

estándares puros del logro espiritual y la evolución en conciencia. Es el ideal sobre el cual originalmente se cimentaron los estándares terrenales de la jerarquía.

Maestros y estudiantes

Un principio básico de la jerarquía cósmica es el siguiente: quienes buscan trascenderse recibirán asistencia de almas con una mayor evolución, las cuales ya dominan las lecciones que las almas más jóvenes pretenden aprender. Éste es un modelo que nos resulta conocido. En todas partes los niños son enviados a la escuela para aprender de sus instructores. Los artesanos aprenden el oficio de sus maestros. Los adultos acuden a especialistas para adquirir pericia y dominio en un cierto campo.

De la misma forma, en el reino del crecimiento espiritual el buscador aprende de quienes poseen un mayor logro. Se instruye gracias a ellos, sigue sus pasos, absorbe su comprensión y asimila su conciencia. De modo que expande y trasciende su estado de conciencia previo. Luego él se convierte, a su vez, en guía y maestro para quienes se encuentran en niveles inferiores de conciencia.

Este proceso de aprendizaje se caracteriza por lo que se conoce como «la transferencia del manto», siendo éste un símbolo del logro espiritual. Día tras día, el chela (estudiante) teje en su conciencia los hilos de la vesti-

menta espiritual del maestro. Como recompensa por su obediencia iluminada y amor abnegado, el estudiante recibe incrementos de la comprensión del Yo Superior del maestro.

Cabe resaltar en el Antiguo Testamento un maravilloso ejemplo sobre transferencia del manto de comprensión divina por parte de un maestro a su estudiante. Como veremos en la historia que se relata a continuación, el manto era físico y al mismo tiempo era la conciencia espiritual que el maestro Elías legó a su discípulo Eliseo. Por supuesto, la transferencia sólo pudo producirse porque Eliseo había completado su aprendizaje y estaba listo para su examen final.

La transferencia del manto de Elías a Eliseo

Cuando el profeta Elías se acercaba al final de la encarnación, su discípulo Eliseo le acompañó en un viaje. Al llegar al río Jordán, Elías tomó su manto, lo enrolló y golpeó el agua con él. Las aguas se separaron, y ellos cruzaron al otro lado por terreno seco. Haciendo referencia a su muy próxima ascensión, Elías preguntó a su estudiante: «¿Qué quieres que haga por ti antes de ser apartado de ti?» Eliseo pidió un regalo profundamente espiritual: que le fuera dada una porción doble del espíritu de Elías. Éste respondió que su alumno pedía algo difícil. Sin embargo, si Eliseo era capaz de ver cuándo Elías ascendiera, se le otorgaría. Si no era así, Eliseo no recibiría lo que había pedido. Mientras caminaban y hablaban, un carruaje brillante con caballos de fuego apareció. Separaron a Eliseo de su maestro, y Elías ascendió al cielo en un torbellino.

Eliseo había podido observar a su maestro durante este impresionante suceso espiritual. Con gran dolor, tomó el manto de Elías, el cual había caído al suelo. Caminó de regreso al Jordán y golpeó el agua con el manto, diciendo: «¿Dónde está el Señor Dios de Elías?» Igual que cuando el gran profeta Elías golpeó las aguas, éstas se separaron, y Eliseo cruzó por tierra seca. El espíritu y el manto de su amado maestro habían descendido sobre él.[2]

---

[2] Historia adaptada de 2 Reyes 2:1-15. A menos que se especifique, todas las citas bíblicas corresponden a la versión Reina-Valera (1960).

Los tres reinos de la jerarquía cósmica

El sendero evolutivo que propicia el tránsito del ser humano al estado de ser cósmico constituye un recorrido que se sigue por medio de una rama o reino concreto de la jerarquía cósmica: «los hijos e hijas de Dios». Las otras dos ramas son «la evolución angélica» y «los constructores de la creación». Este último grupo está formado por los muchos espíritus de la naturaleza, llamados elementales, que trabajan aquí en la Tierra. A estas tres ramas se las conoce como «los tres reinos» de la jerarquía cósmica. Saber que estos tres reinos se complementan nos ayuda a comprender nuestro propósito especial como almas que evolucionan en la Tierra.

Una manera fácil de entender la diferencia entre los tres reinos es relacionándolos con tres colores: el azul, el amarillo y el rosa. Si te acuerdas, en *Aventura del espíritu* (primer curso) se decía que éstos son los colores de la llama trina, es decir, la chispa divina localizada en el corazón de todos los hijos de Dios. Cada color representa una característica distintiva de la conciencia divina: el azul simboliza el poder, el amarillo corresponde a la sabiduría y el rosa representa el amor. Los tres reinos siguen también este esquema cósmico. El siguiente cuadro ilustra un panorama más detallado de las tres ramas de la jerarquía presentes en nuestro mundo.

Los tres reinos

El primer reino: los constructores de la creación

Los constructores de la creación forman el primer reino, el cual expresa el atributo divino del poder, que se refleja en el color azul. También se le asocia con el aspecto divino de Padre, que establece las leyes universales del ser.

En la parte superior de esta rama se encuentran los poderosos seres conocidos como «Elohim», vocablo que equivale a la forma plural de la palabra hebrea *El*, cuyo significado es «Dios». En la versión original de la Biblia en hebreo existen cientos de referencias a los Elohim, comenzando por el relato de la creación en el libro del Génesis, el cual menciona en un fragmento de su capítulo 1, versículo 26: «Entonces dijo Dios [Elohim]: *Hagamos* al hombre a *nuestra* imagen, conforme a *nuestra* semejanza» [La cursiva es nuestra]. Esta afirmación denota claramente una expresión en plural de la Divinidad. En primer lugar, vemos que el Espíritu universal utiliza múltiples formas para referirse a sí mismo. En segundo, cada una de estas expresiones se caracteriza también por la polaridad masculina-femenina, como en «Dios Padre/Madre». Sin embargo, las traducciones por lo general interpretan la palabra *Elohim* simplemente como «Dios», y por eso la mayoría de personas que se han criado en la fe cristiana tradicional no están familiarizadas con la referencia en plural al Creador.

Los Elohim son responsables de proporcionar el impulso de la creación. El propósito de su reino consiste en construir y sostener el mundo material. En todo el cosmos los Elohim dirigen la creación de sistemas estelares, planetas y de toda la vida física que evoluciona en ellos y en el universo.

En el desarrollo de esta labor incesante, los Elohim cuentan con la ayuda de seres que cuidan y mantienen los diversos aspectos de la naturaleza en los niveles inferiores de este reino, a quienes se conoce como espíritus de la naturaleza, elementales o seres de los elementos.

El alma se vale de cuatro cuerpos inferiores para desplazarse por los cuatro niveles del mundo material. Estos planos de existencia se caracterizan por los elementos fuego, aire, agua y tierra. (Véase el primer curso para una explicación más detallada.) Cada uno de estos cuatro elementos tiene su propio grupo de espíritus de la naturaleza, los cuales alimentan a la vida que evoluciona en dicho plano. Los elementales que trabajan con el elemento tierra reciben el nombre de «gnomos»; los espíritus de la naturaleza del elemento agua son «las ondinas»; a los elementales del aire se les llama «silfos»,

y, finalmente, los seres del elemento fuego reciben el nombre de «ardientes salamandras».

Los seres elementales varían en tamaño y van desde los diminutos hasta los que son enormes. Son responsables de mantener el planeta físico. Sin su labor, la Tierra no podría existir y no tendríamos una plataforma para la evolución de nuestra alma. Los elementales sirven bajo la tutela de sus jerarcas, quienes, a su vez, lo hacen bajo las órdenes de los Elohim.

El estudio de la vida elemental es fascinante y a la vez práctico. Al aprender a trabajar en armonía con los seres elementales podemos ayudar a hacer de la Tierra un planeta más luminoso, más alegre y vibrante.

El segundo reino: los hijos e hijas de Dios

Los hijos e hijas de Dios conforman el segundo reino y representan el aspecto correspondiente a la sabiduría de la jerarquía cósmica, el cual se refleja en el color amarillo. Los seres humanos, maestros ascendidos y seres cósmicos forman parte de este reino.

El significado oculto de la palabra *sabiduría* [en inglés, *wisdom*] es «dominio sabio» [*wise dom*inion]. La sabiduría representa el aspecto de Hijo de Dios. El Hijo, o Cristo Universal, impregna la creación de inteligencia divina y la guía hacia su destino. Podría decirse que nosotros, los humanos, evolucionamos desde nuestra infancia como niños de Dios hasta la madurez plena como hijos e hijas de Dios responsables —«seres crísticos»— capaces de cumplir con nuestro destino y ejercer potestad sobre la creación.

Nuestros siete chakras nos permiten tener acceso a las energías divinas de los siete rayos. Cada uno de nosotros aprende por medio de las pruebas y los errores a la luz de las elecciones basadas en el libre albedrío, para asimilar y expresar las cualidades positivas de esos rayos. Aprendemos a transmitir el poder de forma apropiada, a tomar decisiones sabias y a actuar con amabilidad, amor y compasión. Descubrimos cómo defender la verdad y mantener el honor de nuestro espíritu, entre otras cosas. Aprender cómo manejar con dominio la luz divina de estos siete rayos nos ayuda a evolucionar espiritualmente y llevar a cabo la misión de nuestra alma aquí en la Tierra.

Más allá de obtener dominio sobre los siete rayos, en los seres humanos recae un cometido especial. Así pues, quienes pertenecen al segundo reino están destinados a dirigir el ingenio de Dios, manifestándolo a modo de creatividad e invención. Nuestro Yo Crístico ya contiene este ingenio y conciencia divina. Finalmente, lo que absorbamos y expresemos de ella nos permitirá volvernos cocreadores con Dios. Los maestros ascendidos y seres cósmicos ejemplifican a la perfección dicha cocreatividad.

No se nos deja sin consuelo ni solos en la tarea de llevar a cabo nuestro llamado superior y sagrado. Los maestros ascendidos siempre están listos para ayudarnos, y Dios ha dispuesto a los seres del tercer reino para que nos asistan y sirvan en el camino.

El tercer reino: la evolución angélica

La evolución angélica conforma el tercer reino, el cual expresa el amor de Dios, reflejado en el color rosa. La adoración, el cuidado, la compasión, la esperanza, la guía y la asistencia de los ángeles siempre nos acompañan. Este reino representa la faceta de Espíritu Santo de Dios, que se extiende y alimenta a toda la creación, instando continuamente a la vida a sacudirse los viejos patrones y trascenderse a sí misma.

Los ángeles amplifican los «ángulos de la conciencia de Dios», esto es, las características y virtudes polifacéticas de la divinidad. Por cuanto prestan servicio en el ámbito de los sentimientos, las emociones y la intuición, la misión de ellos consiste en alimentar, proteger y guiar a las almas que evolucionan en el mundo físico. Estos seres también evolucionan, y pasan de ángeles recién creados que deben «ganarse sus alas», a enormes seres espirituales conocidos como arcángeles, los cuales encabezan esta rama de la jerarquía.

En las escrituras hebrea, cristiana e islámica se mencionan diversos arcángeles. Entre ellos destacan Miguel, Gabriel y Rafael. Sin embargo, existen muchos más que trabajan en nuestro rebosante cosmos, con millones y miles de millones de ángeles bajo sus órdenes.

En cada uno de los siete rayos sirven un arcángel y legiones especializadas de ángeles que trabajan con él. Por ejemplo, el Arcángel Gabriel dirige a los serafines, los ángeles que sirven con él en el rayo blanco, el de la pureza. El Arcángel Chamuel dirige a los querubines, los ángeles que están destinados a servir concretamente en el rayo rosa, el del amor. También existen otras categorías de ángeles, como los ángeles devas, quienes trabajan con los elementales en lugar de con los humanos.

Los ángeles pueden ser de gran ayuda en nuestra vida, lo mismo que los Elohim y los elementales. Por eso es importante aprender cómo los tres reinos cooperan y se relacionan entre sí. Aprender más acerca de los ángeles y cómo trabajar con ellos es el tema del capítulo 5 de este segundo curso.

Sorpresas de la evolución

Los límites entre los tres reinos no son inamovibles. Es posible pasar de una evolución a la otra, y esto ocurre con frecuencia. Por ejemplo, muchos ángeles tienen un deseo tan profundo de ayudar a los seres humanos más directamente, que obtienen permiso para encarnar. Algunas veces nos referimos a una persona especialmente amable y servicial como «un ángel», y tal vez sea verdad. Cuando los ángeles evolucionan como seres humanos, combinan la maestría humana con la naturaleza angelical que los distingue.

Otro ejemplo es el de los elementales, los cuales no son inmortales ni poseen llama trina. Sin embargo, puede que sirvan a los hijos e hijas de Dios tan fielmente durante miles de años que, de hecho, se ganen la llama trina. En estos casos siguen el sendero de la ascensión y continúan su evolución tal y como nosotros lo hacemos, de modo que en algún momento pueden convertirse en maestros ascendidos. Sorpresas tan interesantes como éstas hacen que nos planteemos todas nuestras interacciones con una fresca sensación de asombro.

> No os olvidéis de la hospitalidad, porque por ella algunos, sin saberlo, hospedaron ángeles.
>
> HEBREOS 13:2

Autoevaluación:
¿Cuánto has aprendido sobre los tres reinos?

Escribe las palabras que leerás a continuación en los espacios correctos de la tabla.

- Rosa
- Amarillo
- Poder
- Amor
- Hijo
- Padre

CUALIDADES DIVINAS DE LOS TRES REINOS		
		Espíritu Santo
	Sabiduría	
Azul		

Puedes comparar tus respuestas con la tabla correctamente completada de la página 67.

Nuestros maestros: los siete chohanes

Para progresar al máximo en nuestro sendero espiritual necesitamos aprender de maestros ascendidos que nos muestren el camino. Muchos de esos maestros están listos y a la espera de nuestra petición de ayuda. Pero, ¿por dónde comenzamos? ¿A quién llamamos?

El Maestro Ascendido El Morya brinda importantes respuestas a estas preguntas en su libro *El discípulo y el sendero*:

> Todos los seres humanos nacen para servir y dominar el ser en uno de los siete rayos. Así pues, su primer gurú[3], después del Yo Crístico —el cual es el verdadero instructor de todo hombre y mujer— es el chohán del rayo en el que sirven.
>
> Por consiguiente, quienes desean ser chelas[4], quienes desean seguir el sendero de la liberación del alma, se alegrarán al saber de la existencia de siete distintos senderos de cristeidad, uno de los cuales encaja a la perfección con la personalidad y el llamado interno de tu alma, y otro, complementa al primero. Por eso podríamos decir que, en lo tocante a los siete

---

[3] *Gurú*: palabra sánscrita que designa a un maestro espiritual. Significa «disipador de oscuridad».

[4] *Chela*: palabra sánscrita que se refiere a un estudiante o discípulo de un maestro espiritual.

rayos, tienes un área predominante de estudio y aplicación de la ley consistente en la realización del Cristo, y otra secundaria.[5]

El Morya explica que nuestro principal instructor o gurú es nuestro Santo Ser Crístico. El sendero de la ascensión lleva a una unión cada vez mayor con el Yo Crístico y, finalmente, al desarrollo pleno de la cristeidad individual. De todos modos, la cristeidad no consiste en imitar un modelo. En realidad, existen siete tipos distintos de cristeidad, cada uno de los cuales se relaciona con uno de los siete rayos espirituales. Y puesto que nuestra cristeidad en un rayo en particular se fortalece por medio de la especial personalidad de nuestra alma, siempre será diferente de la de Jesús, o de la de cualquier otro individuo. La cristeidad de cada persona agrega una nueva faceta a la joya de la conciencia crística que se manifiesta en el cosmos.

El Morya también cuenta que cada alma siente una afinidad especial hacia uno de los siete rayos; se trata de un ámbito «predominante», por así decir. Por eso el alma busca un instructor que pueda enseñarle cómo dominar las cualidades de ese rayo.

---

[5] El Morya: *El discípulo y el sendero. Haciendo frente al desafío de la vida en el siglo* xx.

Los chohanes de los siete rayos

Al haber siete rayos, también son siete los principales maestros ascendidos que nos instruyen. Reciben el nombre de «chohanes de los rayos». *Chohán* es una palabra cuyo significado es «señor» o «maestro». Dicho término designa un cargo dentro de la jerarquía cósmica. Los siete chohanes o señores de los rayos destacaron en la aplicación de un rayo concreto durante sus muchas encarnaciones en la Tierra y han sido designados nuestros maestros para aleccionarnos sobre el dominio de su rayo.

Por ejemplo, El Morya desempeña el cargo de chohán del primer rayo. Enseña a sus estudiantes a servir a la voluntad de Dios y a dominar la energía del chakra de la garganta. El chohán del segundo rayo es el Señor Lanto, un maestro de sabiduría que vivió en la antigua China. Él enseña el sendero del logro por medio de la iluminación y el control del chakra de la coronilla. Pablo el Veneciano, quien estuvo encarnado en el artista italiano Paolo Veronese, es el chohán del tercer rayo. Sus chelas aprenden las disciplinas del amor divino y el dominio del flujo de las fuerzas creativas por medio del chakra del corazón.

El chohán del cuarto rayo es Serapis Bey. La intensidad de este maestro se refleja en sus estudiantes, los cuales aprenden la dedicación a la pureza, la disciplina, la alegría y a la luz blanca del chakra de la base de la columna.

Hilarión, chohán del quinto rayo, estuvo encarnado en el apóstol Pablo. Él revela el sendero de la automaestría a través de la ciencia, la verdad, la música, la curación y la visión inmaculada de Dios por medio del chakra del tercer ojo.

La maestra ascendida Nada, quien ostenta el cargo de chohán del sexto rayo, estuvo encarnada en diversas ocasiones como abogada y se hizo experta en la defensa de los oprimidos. Ella muestra el camino del servicio humilde y la ministración, el sendero donde se tiende la mano a otros al tiempo que se dominan las emociones por medio del chakra del plexo solar.

El chohán del séptimo rayo es el maestro ascendido Saint Germain. Él enseña el control del chakra de la sede del alma e instruye a sus estudiantes sobre cómo utilizar la llama violeta para lograr la liberación del alma y elevar la conciencia de todos los habitantes de la Tierra.

Estos siete chohanes son seres impresionantes y magistrales, que se hallan listos y dispuestos a instruir a los estudiantes acerca de los siete rayos, poniendo énfasis en el desarrollo de nuestro rayo «principal» y del «secundario», el cual sirve de apoyo. Los señores de los rayos pueden optimizar su aportación cuando los alumnos estudian con ellos de forma sistemática. Los estudiantes algunas veces tienen la sensación de ser amigos de un chohán incluso antes de estar verdaderamente preparados para una relación gurú-chela con ese maestro. Por tal motivo, se recomienda el estudio disciplinado de los siete rayos si se quiere evitar el pasar por alto etapas importantes de nuestra preparación en el sendero espiritual.

Al objeto de facilitar una comprensión más clara de cómo trabajan los siete chohanes con los estudiantes, los siguientes capítulos de este segundo curso abordarán el tema con mayor profundidad. El capítulo 2 nos dará a conocer al maestro ascendido El Morya, el vehemente chohán del primer rayo, quien está totalmente dedicado a la victoria del alma en el rayo de la voluntad de Dios. Se presenta a los chohanes del segundo y tercer rayo en los capítulos 4 y 6, y los chohanes restantes se te darán a conocer en el tercer curso de *Aventura del espíritu*.

Esquema de los siete rayos

El cuadro de la página siguiente contiene los nombres de los jerarcas de cada uno de los tres reinos que sirven en los siete rayos. Las primeras cuatro columnas proporcionan información básica acerca de los siete rayos. La quinta refiere los nombres de los siete chohanes de los rayos. La sexta muestra los de los siete arcángeles que trabajan con cada uno de los rayos. También proporciona el nombre de sus llamas gemelas o complementos femeninos, a quienes se conoce como «arcangelinas». La última columna señala los nombres de los siete poderosos Elohim y sus complementos divinos.

JERARCAS QUE SIRVEN EN LOS SIETE RAYOS

RAYO	COLOR	CHAKRA	CUALIDAD	MAESTRO ASCENDIDO (SEGUNDO REINO)	ARCÁNGEL/ARCANGELINA (TERCER REINO)	ELOHIM (PRIMER REINO)
1	Azul	Garganta	Poder	El Morya	Miguel y Fe	Hércules y Amazonia
2	Amarillo	Coronilla	Sabiduría	Señor Lanto	Jofiel y Cristina	Apolo y Lúmina
3	Rosa	Corazón	Amor	Pablo el Veneciano	Chamuel y Caridad	Eros y Amora
4	Blanco	Base de la columna	Pureza	Serapis Bey	Gabriel y Esperanza	Pureza y Astrea
5	Verde	Tercer ojo	Salud, Integridad	Hilarión	Rafael y Madre María	Ciclopea y Virginia
6	Púrpura y oro rubí	Plexo solar	Servicio	Nada	Uriel y Aurora	Paz y Aloha
7	Violeta	Sede del alma	Libertad	Saint Germain	Zadkiel y santa Amatista	Arcturus y Victoria

Respuesta de la autoevaluación: ¿Cuánto has apren-
dido sobre los tres reinos?, página 59.

CUALIDADES DIVINAS DE LOS TRES REINOS		
Padre	Hijo	Espíritu Santo
Poder	Sabiduría	Amor
Azul	Amarillo	Rosa

PIEZA DE ROMPECABEZAS

La Atlántida

La Atlántida es el continente perdido y la civilización desaparecida que goza de mayor renombre. Su existencia siempre ha estado marcada por la controversia: ¿Fue un continente real o sólo una leyenda?

Los maestros ascendidos han confirmado la existencia de la Atlántida, refiriéndose a ella con frecuencia en sus dictados. Aluden a una larga historia en la que incluyen dos civilizaciones doradas de paz e iluminación. Una de ellas duró del 34.550 al 32.550 a. C. La otra comenzó en el año 15.000 a. C., y terminó aproximadamente en el 11.600 a. C., cuando el continente se hundió bajo el océano.

El libro *Un habitante de dos planetas*, escrito por Filos el Tibetano, describe con sumo detalle la vida en la Atlántida alrededor del año 13.000 a. C. Filos fue un adepto que en el siglo XIX dictó los recuerdos de su vida en la Atlántida a un amanuense[1]. Filos relata que la Atlántida fue cuna de una avanzada civilización con una ciencia y una tecnología muy perfeccionadas. En su libro explica que los atlantes utilizaron las fuerzas «nocturnas» en instrumentos tales como el *vailx* (un vehículo de transporte aéreo y submarino), el *naim* (un sistema de videoteléfono inalámbrico) y una máquina que destilaba agua potable del aire.

Cientos de lecturas de Edgar Cayce respaldan la existencia de la Atlántida. Este autor describe una sociedad con tecnología avanzada, la cual más adelante quedó escindida en dos facciones: quienes querían satisfacer sus apetitos físicos y quienes eran espirituales y amantes de la paz. La facción sensual comenzó a emplear tecnología beneficiosa para controlar a los demás, y este mal uso produjo explosiones volcánicas y un gran diluvio que destruyó el continente.

Los maestros ascendidos cuentan una historia similar: la Atlántida cayó en una decadencia gradual dominada por un materialismo creciente y abusos de poder. La práctica de la esclavitud y los sacrificios humanos,

---

[1] Los maestros ascendidos confirmaron la exactitud de los relatos de Filos.

junto con los usos negativos de la ciencia y la tecnología provocaron su hundimiento por medio de terribles inundaciones, secuela de violentos terremotos. Los maestros han señalado que este diluvio fue el mismo suceso al que se hace referencia en el Antiguo Testamento como el diluvio de Noé.

De acuerdo con lo dicho por los maestros ascendidos, los Estados Unidos son la Atlántida resucitada, y la mayor parte de nosotros vivimos en dicho continente y estamos aquí para corregir los errores que cometimos en esa época. La mensajera Elizabeth Clare Prophet formuló la siguiente oración para que nosotros también contribuyamos a ello: «Rezo [...] por el despertar del pueblo norteamericano a su destino divino; para que sepan que son atlantes venidos nuevamente y que tienen la misión de llevar a los Estados Unidos y al mundo hacia una era dorada como la que conocimos [...] en la Atlántida».[2]

[2] *Perlas de Sabiduría*, vol. 35, no. 11, p. 140.

El maestro ascendido Jesucristo

El maestro ascendido Jesucristo es el gran avatar y jerarca de la era de Piscis. Como tal, se erige en ejemplo perfecto de un maestro altamente homenajeado entre las filas de la jerarquía cósmica. Durante su encarnación en Palestina manifestó en plenitud la conciencia crística y por eso se le llamó «Jesús, el Cristo». Vino a revelar el Yo Crístico a la humanidad y a ser el ejemplo de aquello en lo cual todos podemos convertirnos: la totalidad de nuestro propio Yo Crístico. Como parte integrante de su misión, demostró las fases que conforman el sendero de cristeidad personal, incluyendo la crucifixión, la resurrección y la ascensión. De esta forma nos enseñó cómo volver a unirnos con la Presencia YO SOY, lo cual constituye la meta final del sendero espiritual.

El Antiguo Testamento registra diversas encarnaciones de Jesús. Fue Josué, comandante de los ejércitos hebreos y sucesor de Moisés. También fue José, a quien sus hermanos vendieron como esclavo y más adelante se convirtió en virrey de Egipto. Ganó reputación cuando fue David, rey de Israel. Asimismo encarnó en Eliseo, discípulo y sucesor del profeta hebreo Elías.

Jesucristo también estuvo encarnado como emperador y sumo sacerdote de una civilización dorada que transcurrió en la Atlántida en el año 33.000 a. C. Gobernó con su compañera y llama gemela, conocida hoy como la Maestra Ascendida Magda. En esa era dorada, más del cincuenta por ciento de las personas estaban unidas a su Santo Ser Crístico. (En el curso primero se

describe el proceso y significado de la unión con el Santo Ser Crístico.)

En años recientes ha salido a la luz mucha información acerca de aspectos no publicados anteriormente sobre la última vida de Jesús, en Palestina. Los Evangelios hablan de Jesús cuando contaba doce años y luego pasan a la edad de treinta cuando fue bautizado en el río Jordán. ¿Dónde estuvo en ese ínterin? En el libro *Los años perdidos de Jesús*, Elizabeth Clare Prophet demuestra, partiendo de diversas fuentes, que Jesús pasó en Oriente esos diecisiete años «perdidos». Así, viajó a Pakistán, la India y Tíbet para estudiar con los sabios sobre el sendero que le llevaría a ser un adepto y un maestro espiritual iluminado.

Los maestros ascendidos también revelaron que Jesús regresó a Oriente después de su resurrección y de llevar a cabo su misión en Palestina. Vivió y enseñó en Cachemira y abandonó este planeta a la edad de 81 años.

Durante muchos siglos sirvió en el cargo de chohán del sexto rayo. Ahora ocupa en la jerarquía el de Instructor Mundial, junto con el maestro ascendido Kuthumi, uno de sus discípulos más devotos en tiempos pasados. Juntos son responsables de dar a conocer las enseñanzas que llevan a la automaestría y al logro de la conciencia crística. Los Instructores Mundiales patrocinan a toda alma que busca unirse con la divinidad, impartiéndole las leyes que rigen el karma y ayudándola a enfrentarse con los desafíos diarios de su plan divino.

El retiro etérico de Jesús, el Templo de la Resurrección, se localiza sobre Tierra Santa. Ahí se encuentra un enorme espejo cósmico saturado con el color verde y la presencia purificadora del jade. Muchas almas se han mirado en ese espejo tras pasar al otro mundo y han recibido vislumbres de la realidad de su alma inmortal, así como del recuerdo de su identidad original en el Espíritu. Jesús instruye durante las horas de sueño en el Templo de la Resurrección a quienes desean ser discípulos del Cristo. Este maestro también sirve en el retiro árabe situado sobre el desierto de Arabia al noreste del Mar Rojo.

Una de las falacias teológicas que se han transmitido a lo largo de los siglos es que Jesús es el único Hijo de Dios. Cuando él dijo «Yo soy el camino, la verdad y la vida; nadie viene al Padre sino por mí»[1], el «mí» del que hablaba era el Hijo universal de Dios, en contraposición al yo humano. El significado oculto de esta afirmación se refiere a que ningún hombre llega al Padre sino es a través del Cristo Universal, el mediador. El Cristo, por ser Hijo unigénito del Padre, es el único y verdadero heredero de Dios. Este Hijo de Dios es tu identidad real, tu verdadero yo a quien Dios hizo a Su

---

[1] Juan 14:6

imagen y semejanza, la cual jamás ha caído en pecado ni descrédito, y permanece inviolada a título de Cristo —el amado Santo Ser Crístico— de todo hombre y toda mujer.

Establecer contacto con el corazón de Jesucristo

Una forma de acercarte a tu Santo Ser Crístico es conectándote con el corazón de Jesucristo, recurriendo a la energía acumulada en su gran cuerpo causal cuando se convirtió en el Cristo. El 5 de julio de 1991, Jesús nos indicó una forma de establecer este contacto íntimo. Dijo que si damos con frecuencia el fíat [llamado corto y enérgico] que aparece a continuación, nuestra conciencia pasará por los fuegos purificadores de su sagrado corazón de modo que podremos recibirle una y otra vez. Cuando queramos establecer un vínculo con el maestro ascendido Jesucristo no tenemos más que dar esta orden con todo el fervor de nuestro corazón:

> Jesús, ¡entra en mi templo en este instante!
> Por mi libre albedrío, por mi dominio divino, ¡te doy la bienvenida!
> Y me despojo de todo, mi Señor.[2]

---

[2] *Perlas de Sabiduría*, vol. 34, no. 41, p. 485.

Actualmente Jesús nos llama con más fervor que nunca al sendero de la cristeidad personal. Nos pide seamos sus discípulos y trabajemos en el rescate de las almas de luz que puedan estar perdidas en esta época de oscuridad planetaria. Nos exclama: «¡Convertíos en ese Cristo! [...] Ya es hora de que seáis verdaderos pastores y ministros»[3]. De la misma forma, nos enseña a seguir su ejemplo de cuando estuvo en Galilea: «Por encima de todo, y más que todo aquello a lo que os he llamado [...] sed todo amor, todo amor y todo amor».[4]

[3] *Perlas de Sabiduría*, vol. 30, no. 74, pp. 579-80.
[4] *Perlas de Sabiduría*, vol. 33, no. 16, p. 242.

EL PODER LIBERADOR
DE LA PALABRA

El contacto con la jerarquía

Existen muchas maneras de invocar la ayuda de las huestes celestiales. Recitar el preámbulo completo de un decreto, fíats efectivos o hacer llamados personales cortos son modos de dirigir rápidamente a millones de seres angelicales a una situación. Si utilizas estas técnicas, no te ocupará más que unos breves instantes abordar las condiciones personales y planetarias. Así es como la ciencia de la Palabra hablada puede producir cambios urgentes y constructivos.[1]

---

[1] Para más información sobre la ciencia de la Palabra hablada véanse las explicaciones introductorias a esta materia, en el primer curso *Aventura del Espíritu. Tu identidad espiritual* (Barcelona: Porcia Ediciones, 2ª ed, 2005), antecedente imprescindible para esta discusión.

El preámbulo completo de un decreto

El preámbulo de un decreto es parecido al saludo en una carta. Enumera a quiénes se dirige el decreto. En el primer curso se menciona que nuestra Presencia YO SOY y Santo Ser Crístico siempre se nombran al principio del preámbulo. Esta acción recurre al poder de Dios en nuestro interior y ofrece a nuestro Yo Crístico la oportunidad de proteger el llamado y responder a él de acuerdo con la voluntad de Dios. Es muy útil invocar también al Santo Ser Crístico de toda la humanidad para tener un mayor refuerzo. Después de eso, nombramos a los maestros ascendidos con un logro especial en el rayo al que el decreto se refiere. Esto nos da acceso a su cuerpo causal y a su poderosa energía acumulada.

Un preámbulo completo por lo general contiene la siguiente frase final, la cual no se mencionó en el primer curso: «amado Lanello, todo el Espíritu de la Gran Hermandad Blanca y la Madre del Mundo, vida elemental: fuego, aire, agua y tierra.» Cuando se pronuncian estos nombres al final del preámbulo, añaden fuerza y poder a la acción del decreto.

Lanello es el nombre del mensajero ascendido Mark Prophet, a través de quien los maestros ascendidos dictaron la mayoría de los decretos publicados por The Summit Lighthouse. Él, que ascendió en 1973, es un amigo maravilloso y entiende fácilmente los problemas con los que nos enfrentamos. Lanello dijo que siempre está con nosotros como «gurú siempre presente» para actuar en calidad de emisario nuestro. Dijo que Dios le asignó la tarea especial de cuidar el rebaño de ovejas, que son los devotos de la luz de la Madre Divina. Lanello sigue dirigiendo espiritualmente las actividades de The Summit Lighthouse desde el estado ascendido.

Mencionar a «todo el Espíritu de la Gran Hermandad Blanca» en el preámbulo atrae a un número incontable de santos, seres cósmicos, ángeles, arcángeles y maestros ascendidos del cielo.

Cuando invocamos a la «Madre del Mundo» invocamos el poder de un cargo en la jerarquía que representa la llama de la Madre Divina. Este cargo tradicionalmente era ocupado por una maestra ascendida diferente cada año. El 1 de enero de 1974, la Diosa de la Libertad confirió a la mensajera Elizabeth Clare Prophet el honor de ocupar el cargo de Madre del Mundo en el mensaje final del cónclave de Año Nuevo celebrado en Ciudad de México. Durante este acontecimiento, la Diosa de la Libertad dijo:

> La Junta Kármica y la jerarquía han considerado que el hecho de que una corriente de vida no ascendida porte la corona de Madre

Divina este año sería una gran bendición y una gran dispensación para el planeta Tierra [...]. Así pues, como veis, por la acción de su corazón y su conciencia crística, por la acción del gran Cuerpo Causal de su Presencia YO SOY, el cielo se vuelca sobre los hijos e hijas de la Tierra. Y en la acción de su [...] conciencia y la conciencia ascendida de su llama gemela, podéis apelar a la Madre del Mundo, a su Yo Crístico, y a su Presencia YO SOY y sentir el flujo de la conciencia de quien recibió el nombre de Hermosa Soñadora, quien sueña los sueños de Dios para la humanidad y para los tiempos venideros y las civilizaciones por nacer.[2]

En 1987, Omega[3] afirmó que la mensajera seguía portando el manto. En 1988, Elizabeth Clare Prophet lo reafirmó. Desde entonces, los maestros ascendidos no han dado ninguna otra información respecto al cargo o a quién lo ocupa. Invocar a la Madre del Mundo siempre atrae el poder de la llama de la Madre Divina para producir cambios constructivos. Por eso constantemente la nombramos en los preámbulos de los decretos.

---

[2] *Perlas de Sabiduría*, vol. 32, no. 24, p. 268, n. 4.
[3] Omega es la polaridad femenina del Dios Padre/Madre en el Gran Sol Central del cosmos. Su llama gemela es Alfa. Alfa y Omega juntos expresan la integridad divina del Dios Padre/Madre.

Llamar a la «vida elemental: fuego, aire, agua y tierra» magnetiza la ayuda de los espíritus de la naturaleza, los miembros del primer reino de la jerarquía cósmica a los cuales hicimos referencia al inicio de este capítulo. Nombrar a estos seres especiales les faculta para trabajar con el medio ambiente y con nuestros cuerpos espiritual, mental, emocional y físico, los cuales guardan relación con los elementos de fuego, aire, agua y tierra.

Ejercita la Palabra hablada:

El decreto «Yo soy el guardián de mi hermano»

El preámbulo del siguiente decreto muestra un ejemplo del concepto citado. Todos los maestros enumerados poseen en su cuerpo causal poderosas claves para transmitir la cualidad de la hermandad a quienes les invoquen. Recita el preámbulo y luego la parte principal del decreto tres veces para cosechar todo el beneficio de este ejercicio. Termina con «Y con plena fe...» para aceptar la acción que acabas de invocar.

En el nombre de la amada, poderosa y victoriosa Presencia de Dios YO SOY en mí, de mi muy amado Santo Ser Crístico, Santos Seres Crísticos de toda la humanidad, amado Gran Director Divino, amada Diosa de la Libertad, amada Maestra Ascendida Nada, amada Palas Atenea, amado Poderoso Ciclopea, amada Kuan Yin, amada Poderosa Porcia, amado Señor Maha Chohán, amado Jesucristo, amada Madre María, amado Lanello, todo el Espíritu de la Gran Hermandad Blanca y la Madre del Mundo, vida elemental: ¡fuego, aire, agua y tierra! yo decreto:

YO SOY el guardián de mi hermano.
¡Oh Dios, ayúdame a ser
toda asistencia y servicio
compasión como eres Tú!

YO SOY el guardián de mi hermano.
Oh Jesús, por tu bendición
de la llama de la Resurrección
danos consuelo en tu nombre.

YO SOY el guardián de mi hermano,
¡Oh Presencia de Dios tan cercana,
la plenitud de tu bendición,
aparece como pura divinidad!

¡YO SOY el guardián de mi hermano,
YO SOY el guardián de su Llama;
con poder y saber silenciosos,
en tu nombre siempre lo amo!

¡Y con plena Fe acepto conscientemente que esto se manifieste, se manifieste, se manifieste! (repítase tres veces), ¡aquí y ahora mismo con pleno Poder, eternamente sostenido, omnipotentemente activo, siempre expandiéndose y abarcando el mundo, hasta que todos hayan ascendido completamente en la Luz y sean libres!

¡Amado YO SOY! ¡Amado YO SOY! ¡Amado YO SOY!

Cómo hacer llamados específicos

Algunas veces es necesario invocar a las legiones del Señor para llevar a cabo una acción específica y tal vez no tengamos tiempo suficiente para decir todo el decreto. Puede tratarse de una emergencia, o simplemente puede que estés muy ocupado y sólo tengas tiempo para dar órdenes cortas. En tales casos, un llamado rápido a los maestros ascendidos y a los ángeles puede obrar maravillas.

¡Fíats! ¡Fíats! ¡Fíats!

Esos llamados a los maestros ascendidos algunas veces adoptan la forma de fíats, es decir, breves llamados fervientes que invocan las extraordinarias cualidades de Dios. Un fíat es una afirmación corta y determinante dada con gran fervor y decisión a fin de invocar la luz divina en tu vida. Muchos fueron dictados por los maestros ascendidos, pero tú también puedes componer tus propios fíats poderosos. Pueden ser cortos o largos.

EJERCITA LA PALABRA HABLADA:

Recita fíats

Intenta repetir los siguientes fíats tres veces cada uno y observa cómo operan. Dótalos con el fervor de tu corazón y recítalos con la autoridad de tu Presencia YO SOY para liberar la luz de Dios hacia tu vida.

- Arcángel Miguel, ¡ayúdame, ayúdame, ayúdame!

- En el nombre de mi poderosa Presencia YO SOY, ¡yo reclamo mi victoria ahora! ¡Yo reclamo mi victoria ahora! ¡Yo reclamo mi victoria ahora!

- ¡He aquí, yo estoy en todas partes en la conciencia de Dios!

- ¡Ven, Espíritu Santo, ilumíname!

- ¡Alabado sea Dios!

- ¡En el corazón inmaculado de María yo confío!

- ¡La tierra es del Señor y toda su plenitud, el mundo y los que habitan en él!

Cómo hacer llamados personales después de un preámbulo

También se pueden hacer llamados personales después de los preámbulos de los decretos para invocar la acción definida orientada a operar cambios personales o planetarios. Con frecuencia, cuando damos decretos en grupo, la persona que dirige los decretos recitados conjuntamente hace una pausa después del preámbulo para que puedan ofrecerse los llamados individuales. La luz invocada por medio de los decretos irá donde los llamados la dirijan. Puedes crear tus propios llamados utilizando la siguiente fórmula, la cual consta de cuatro partes:

1. Invoca el nombre de Dios, a tu Poderosa Presencia YO SOY y Santo Ser Crístico, o el nombre de un maestro ascendido. Éstos son algunos ejemplos:

    - En el nombre de mi Poderosa Presencia YO SOY y Santo Ser Crístico.

    - En el nombre del YO SOY EL QUE YO SOY.

    - En el nombre del Arcángel Miguel.

2. Nombra al/los maestro/s ascendido/s, ángel/es o ser/es cósmico/s a quien/es va dirigido tu llamado:

    - Amados Saint Germain y Jesús

- Maestros ascendidos que sirven en el rayo del amor divino
- Arcángeles Rafael y Madre María

3. Nombra la acción que te gustaría ver manifestada:

- ¡Encargaos de toda la situación del Medio Oriente!
- ¡Proteged y sanad a mi madre, quien se encuentra en el hospital en este momento!
- ¡Dad ropa y alimento a los niños sin hogar de la Tierra!

4. Pide que ese llamado se ajuste a la voluntad de Dios. Esto evita que hagas karma negativo por actuar en contra de la voluntad de Dios:

- Que este llamado se ajuste a la voluntad de Dios.
- Que se haga de acuerdo a la voluntad de Dios.
- Que no se haga mi voluntad, sino la tuya.

Cuando juntamos las tres partes, un modelo de llamado sería algo así:

En el nombre del YO SOY EL QUE YO SOY, amado Arcángel Chamuel y todos los maestros ascendidos que sirven en el rayo del amor divino, ¡dad ropa y alimento a los niños sin hogar de la Tierra! Que se haga de acuerdo con la voluntad de Dios.

Cómo hacer llamados personales en cualquier momento

Esta fórmula también puede utilizarse en emergencias o cuando existe una necesidad inmediata de infundir luz a una situación. Por ejemplo, si observas a un conductor imprudente que avanza zigzagueante por la carretera, puedes hacer el siguiente llamado: «En el nombre del Cristo, amado Arcángel Miguel, ¡controla a ese conductor para que conduzca con precaución! Que se haga de acuerdo a la voluntad de Dios.» Estas órdenes breves se cumplen solas. Es bueno acompañarlas con decretos cuando tienes tiempo. Sin embargo, aprovecha siempre la oportunidad de solicitar ayuda cuando la situación requiera una acción inmediata. Con el simple hecho de hacer los llamados puedes influir positivamente y de manera poderosa en la vida.

Ejercita la Palabra hablada:

Cómo hacer un llamado

1. Utiliza la fórmula que te hemos dado basada en cuatro pasos, dedica unos minutos a crear un llamado para ayudar a un miembro de tu familia o amigo. Puedes escribir este llamado en tu diario y utilizarlo una y otra vez, si así lo deseas, o simplemente crea el llamado en tu mente.

2. Ejercítate en hacer llamados espontáneos sobre los asuntos que se mencionen en las noticias. Envía la energía de Dios hacia cualquier situación negativa que detectes mientras veas las imágenes en la pantalla.

Para pedidos y envío de libros a domicilio

Porcia Ediciones, S.L.
C/ Enamorados, 68 pral 1ª
Barcelona - 08013 (España)
Tel./ Fax (34) 93 245 54 76
E-mail: porciaediciones@wanadoo.es

o bien:

Porcia Publishing Corp.
9310 Fontainebleau Blvd. A - 607
Miami, FL 33172 (USA)
Tel. (1) 305 364 00 35
Fax (1) 305 551 16 58
E-mail: porciapublishing@bellsouth.net

Para cursos, seminarios y conferencias

Barcelona (España)   Tel. (34) 93 450 26 13
                       www.ccsaintgermain.org

Madrid (España)   Tel. (34) 91 758 12 85
Valladolid (España)   Tel. (34) 983 27 07 31

¿Desea enviarnos algún comentario sobre *Un entorno celestial?*

Esperamos que haya disfrutado al leerlo y que este libro ocupe un lugar especial en su biblioteca. Es nuestro mayor deseo complacer a nuestros lectores, y, por ello, nos sería de gran ayuda si rellenara y enviara esta hoja a:

Porcia Ediciones, S.L.
C/ Enamorados, 68 pral 1ª
Barcelona - 08013 (España)

o bien a:

Porcia Publishing Corp.
9310 Fontainebleau Blvd. A - 607
Miami, FL 33172 (USA)

Comentarios:_____
_____
_____

¿Qué le llamó más la atención de este libro? _____
_____
_____

¿Quiere recibir un catálogo de libros?   SÍ   NO

Nombre: _____
Dirección: _____
Ciudad:_____CP:_____
Provincia/Estado:_____
País:_____Teléfono:_____
E-mail:_____

Club del libro

El *Club del libro* es un servicio gratuito. Al suscribirse le enviaremos cada 2 meses un libro nuevo, que tendrá que pagar, sobre las enseñanzas de los maestros ascendidos, y además obtendrá las siguientes ventajas:

- Recibirá el libro en casa antes de que llegue a las librerías.
- Gastos de envío gratuitos (en España y EE.UU.), si paga con Visa, Master Card o domiciliación bancaria.
- Un libro gratis del catálogo cada 12 meses.
- Si un libro no le interesa, lo retorna y le devolvemos su dinero.

¡Suscribirse es gratuito! Rellene y envíe esta hoja a:

Porcia Ediciones, S.L.
C/ Enamorados, 68 pral 1ª
Barcelona - 08013 (España)

o bien a:

Porcia Publishing Corp.
9310 Fontainebleau Blvd. A - 607
Miami, FL 33172 (USA)

Nombre:_____

Dirección:_____

Ciudad:_____CP:_____

Provincia/Estado:_____

País:_____Teléfono:_____

E-mail:_____

Forma de pago (Visa, Master Card, contrareembolso o datos bancarios): _____

Libro de regalo:_____